KB178110

이봐,

안
해친다니까
?

저자: 개

남자

늑대

20살

애정, 사랑, 평화 좋음

술 좋음

담배 싫음

살짝 다부진 몸

양성애자

간단한 자기소개

오늘도 과제가 한 가득...
20살 대학생 나스웨더입니다.

남자

늑대

54살

화끈한 플레이 좋아함

팔, 다리 근육질, 뱃살 많음

술 싫음

담배 싫음

동성애자

간단한 자기소개

오늘도 나의 늑대를 찾아...

나의 멍멍이를

찾아다닌다...

54살 천현황이다.

목차

이봐, 안 해친다니까…?

그저 오늘도 학교로
돌아가는 어느 평범한
하루였다. 그런데 오늘
하루는 좀 이상하게
굴러갔다. 어느 한 체형의
중년의 남자가 나에게
다가왔다. 그리고 나의 앞에
서더니 나에게 물었다.
**"저기…. 같이
산책하실래요?"** 갑자기
대뜸 뜬금없는 질문에
당황했지만 뭐 '남자 대

남자니….'라고 생각하고
산책하러 같이 갔다. 그리고
서로 담소를 나누며 재밌게
산책을 하고 있었던 도중
나는 이상한 골목길로
가려고 하는 그 남자를
보고 대뜸 멈추어 발길을
돌리려고 했다. 그런 나를
잡더니 **"저기…. 여기 저
혼자 가기에는 무서워서….
같이 가주시면 안 될까요?"**
나는 이때 승낙을 하면 안
됐었다. 일단 같이 들어갔을
때, 마치 칠흑 같은

어두움이 주변을 감쌌다.
그리고 그 남자는 어디로
간 건지 주변을 둘러보고
있던 도중 누군가가 나의
뒤로 가서 안아주는 것이
느껴졌다. 나는 놀라서
발버둥 쳤지만, 너무 힘이
센 나머지 효과가 없었다.
그리고 그가 말했다. "**이봐,
해치지 않아…. 가만히
있어 봐~ 즐거운 시간이
어떤 건지 느끼게
해줄게….**" 나는 곧장
위기의식을 느껴 그대로

상대방의 명치와 목젖을
세게 친 뒤 아파하는 틈을
타 재빨리 달아났다. 그리고
뒤에서 말하는 소리가
들려오는데 그 말은….**"난
네 절대 못 잊어…. 너를
꼭 길들이고 말 거야~
ㅎㅎㅎ..."** 소름 끼치는 저
웃음소리. 정말 소름
끼친다…. 나는 벗어나서도
마음이 편치 않아 집에
도착하고 방문까지 걸어
잠근 뒤에야 잠이 편히
들었다.

저 너무 무서워요….

그리고 다음 날 아침, 나는
그 광경이 계속 생각나
두려움에 벌벌 떨고 있었다.
그때 누군가가 내 집 문을
두드렸다. 너무 무서운
나머지 답변도 할 수
없었다…. 잠시 후 문
두드리는 소리가 사라지자
나는 문 앞으로 나갔다.
그런데 갑자기 내 머리를
누군가가 세게 가격했다….
그리고 일어나자…! 나는 또

그 공포의 장소에 놓여
있었다…. 이번에는
무언가에 묶여 움직이지도
못했다…. 너무나도 무섭고
두렵다…. 꼬리가 서서히
말린다…. 귀가 서서히
내려간다. 계속 낑낑거리고
싶은 욕구가 생긴다. 너무
두렵다. 그리고 잠시 후
문이 열리는 소리가 들렸다.
"드디어 잡았다...ㅎㅎ…."
그분이다. 날 공포에 떨게
했던 그분. 꼬리가 말린다.
그 광경이 떠올라 계속

두렵다…. 그리고 나도
모르게 말로 나왔다. *"너무*
무서워. 무서워요…." 그리고 나도
모르게 낑낑거리고 있었다.
그분이 나에게 다가온다.
오지 말라고 하고 싶지만,
너무 공포에 휩싸인 나머지
목소리도 나오지 않는다.
제발…. 그때 때린 건
나였다. *'그분도 나를 때리려나…?,*
나 그분 때려서 이렇게 묶여서 계속
맞다가 방치되어 죽는 건가…?
싫어!!!'
수만 가지의 생각이 스쳐

지나갔다. 이 순간만큼은
내가 늑대 수인임에도
불구하고 살 수만 있다면
충성을 맹세할 수 있을 것
같았다….

나와 처음에
만났을 때 한 말?

그분은 나에게 말했다.
"너무 두려워하지 마라.
내가 처음에 만났을 때 한
말이 뭐였지?" 나는 몰라서
생각나는 것을 아무거나
말했다. *"무서워요…."* 그분이
당황하며 말했다. **"내가**
그것을 처음에 만났을 때
말했다고? 허허 귀여워라.
나는 분명히 안 해치겠다고
말했었는데 ㅎㅎ..."

그러고 보니 그분이 정말로
그렇게 말한 것이 생각났다.
하지만 계속 두려웠던
나머지 내 몸은 덜덜
떨리고 있었다. 멈추려고
했지만 멈춰지지 않았다.
그분이 다가온다. 점점
가까이. 꼬리가 말려들어
ㄱ …!!! 그분이 다가와 나의
머리를 쓰다듬어줬다. 손이
큰 것을 보니 아무래도
호랑이 같았다. 그 뒤
그분은 내 몸에 묶여있던
것을 풀어주고 안대도

벗겨줬다. 자유가 된 나는
그 즉시 탈출하려 했지만
뭔가 마음에 있었다….
그분은 그런 나를 보더니
무릎을 마주하고 나를
바라보고 있었다. 나는 뭔가
이상한 마음이 들어 눈을
피했지만, 그분이 커다란
손으로 내가 그분의 얼굴을
보게끔 했다. 그분은 호랑이
아저씨였다. 배가 많이 나온
그런데 가슴과 다리, 팔은
운동해서 두껍고 든든해
보이는 아저씨였다. 그리고

나를 빤히 바라보더니
그대로 나를 놓아줬다.
아저씨는 여전히 나를
바라보고 있었다. 뭔가
원하는 것이 있는 것처럼….

따뜻하고 포근해...

아저씨는 나에게 갑자기
다가왔다. 나는 놀라서
자리를 피하려고 했지만
그대로 그분은 나의 손을
잡았다. 내가 놓아달라고
말했음에도 불구하고 계속
잡고 있었다. 잠시 뒤 내가
진정하자, 이번에는 나를
안아주셨다. 따뜻하고
포근하다. 이상한 감정이
든다. 하지만 진짜 아저씨의
품은 따뜻하고 포근하고

계속 그 자리에 있고
싶었다. 잠시 뒤 아저씨는
나를 풀어주셨다. 그런데
나는 아쉬워서 계속 그
자리에 피하지 않고 있었다.
아저씨가 물었다. **"안아줘?"**
나는 부끄러워서 말하지
못했다. 그런데 되묻지 않고
다시 안아줬다. 그리고 내
귀에 말을 속삭여줬다.
"착한 멍멍이…. 귀여워.
부끄러워서 말 못 하고.
그치? 너를 선택한 이유가
다 있었어." 나는 들켰다는

사실에 더 부끄러워져
고개를 돌리고 마주치지
않으려고 했다. 그런데
그것을 더 놀리듯 또
"귀여워. 아기 멍멍이.
부끄러워. 고개 돌렸어.
꼬리는 축 처졌어.
조그마해..."라고 또
속삭였다. 나는 부끄럽지만,
간신히 말을 했다. "그.... 안.
놀려요." 아저씨가 **"귀여워.**
알겠어, 멍멍아. 참
순진해가지고는..."
이라고 말하셨다.

나 사실 아저씨가 ….

나는 이런 아저씨에게
호감이 갔다. 따뜻하고
부드럽고 포근한 품. 든든한
몸. 이런 아저씨가 좋았다.
하지만 말하기는
부끄러웠다. 그렇게 계속
안겨있다가 할 말은
해야겠다고 생각하고 입을
열었는데…! "낑!
끼잉…하아…낑…끼잉…."
갑자기 아저씨가 키스를
했다… 부드럽고 따뜻한

하지만 살짝은 까끌한 혀가
내 혀를 마구 부드럽게
쓰다듬어주자 나는 계속
좋아서 낑낑거릴 수 밖에
없었다. "낑…. 낑…깨앵. 낑.
낑....."그렇게 잠시 후 키스를
멈추자. 아저씨가 말했다.
**"이걸로 고백은 받은
거다?"**
나는 좋아서 꼬리가 마구
붕붕 돌았다. 그 모습을 본
아저씨는 이번에는….

너무 좋아요. 더요.

이번에는 아저씨가 내
모습을 보더니 내 옷을
잡고 그대로 양쪽으로
찢어버렸다. 나는
부끄러워서 몸을 가리자.
아저씨는 그런 내 손을
잡더니. **"우리 멍멍이는
얼마나 맛있나. 한 번
먹어봐야 하겠다."**
그러더니 이번에는 내 배를
쓰다듬어줬다. 이런 배에도
나는 너무 좋아 몸을

비틀이며 헥헥 거리도
낑낑거리자 그런 나를
귀엽게 본 듯**"귀여워. 배만
쓰다듬어줬는데도 그렇게
좋아? 사랑스러워라…. 더
큰 상을 줘야겠는데?"**
이번에는 내 바지를 찢더니
그대로 내 자지를 바로
잡았다. 나는 그 순간
흥분하여 *"끙!!!"*거렸다.
그리고 내 자지를 그대로
입에 넣더니 피스톤 질을
하기 시작하자 내 몸이
마구 견디지 못하고 비트며

깨갱깨갱. 쾌락에 섞인
신음을 마구 내기 시작했다.
"깽…. 싸…. 쌀 것 같아. 요…. 깨….
앙. 깽!!!."사정했는데도 계속
피스톤 질을 하며 더 내
정액을 삼키기 시작했다.
그렇게 멈추자 나는 숨을
간신히
몰아쉬었다….**"귀여워.**
좋았나 보네 많이도 싸고
하하. 달고 맛있었어….
이번에는 네가 한번
말해볼래?" 나는 알고
있었지만 부끄러워서 말하지

않았다. 그런데 계속
재촉하는 듯 내 후방에
손가락을 넣다 뺏다 하며
물어보고 있었다…. 나는 못
참고 "박아주세요…." 라고
힘겹게 말했다…."**뭐라고 잘
안 들리는데? 멍멍아?
뭐라고?**" 나는 다시
힘겹게. "제발 박아주세요….
깡깡…." 그런 내 말을 듣고
손가락으로 애무해주는
아저씨, 내 자지는 이미
발기가 돼 있고 정액도
쏟았는데도 불구하고 여전히

액을 내뿜으며 반응했다….
그렇게 잠시 후 자지를
내게 박아주는 아저씨 나는
엄청난 쾌락에 *"아우*
*우우!!!"*하고 울부짖었다….
너무 부끄러웠지만, 쾌락이
너무 강하여 금방 잊혔다.
이대로 움직이면 내 결과는
불 보듯 뻔했다. 그리고
아저씨가 허리를 움직이자
나의 살과 아저씨의 살이
맞으며 야한 소리를 내고
나도 그와 같이 신음을
내고 있었다….*"하아…. 하아."*

"깽...아. 아하.... 웃. 응.... 낑...."
그리고 아저씨가 더
격렬하게 흔들자 더
강해지는 쾌락에 나는 몸을
가누지도 못할 정도로 너무
쾌락에 물들여 있었다...."앗
응 앙! 낑! 아우!!! 깽!!!" "하아!
하아...." 그렇게 "싼.... 싼다
멍멍아!!!" "네! 안에
싸주세요!!!" 그리고 내 몸에
뜨거운 액체가 들어오는
것이 느껴졌다. 그리고 나도
사정을 한 뒤 나와
아저씨는 서로를 안아줬다.

그 무서웠던 아저씨가 더
따뜻하고 포근하게
느껴졌다….**"넌 이제
내거야…. 이제 넌 내
멍멍이야…."** 나는 그 말에
불쾌감이 전혀 느껴지지
않고 *"멍멍…. 당연하죠…. 낑..낑…."*
이라고 내뱉었다…. 그리고
서로의 온기를 느끼며 잠이
들었다.

신기루였던 걸까...?

그리고 다음 날 아침 눈을
떴다. 하지만 아저씨는
온데간데없이 사라진
상태이었고 아무 흔적 없이
심지어 아저씨의 끈적한
액체도 사라진 상태이었다.
나는 그저 *"꿈이었던 걸까?"*
하며 아무 일도 없었던 것
같이 산책하러 나갔다.
하지만 그 산책로에도 처음
만났던 곳에서도 아저씨의
흔적은 보이지 않았다. 나는

"꿈이었었나 봐" 하고는 대충
둘러대고 그 잎을 잊은 채
살고 있었다. 그렇게
따뜻하지만, 꽃샘추위 봄,
강렬하고 더운 여름,
선선하며 추운 가을, 눈이
내리는 계절의 대명사
겨울이 16번 반복되고
졸업하고 나서 24살의 봄이
찾아왔다. 성년 회를 맞아서
동창 친구들과 같이 회식에
나갔다. 밥을 먹고 술을
마시고 즐거운 담소를
나누며 행복한 시간을

보내고 있었다. 그리고
분위기에 취해서 과음한
나는 그대로 쓰러졌다. 다음
날, 일어난 아침 나는
수상하지만 익숙한 곳에서
일어났다.
여전히 묶어져 있었다.
그리고 잠시 후 들리는
익숙하며 걸걸한 중년
남성의 목소리.
"이야…. 술도 못 마시나
보네. 멍멍아~ 벌을 좀
줘야 하나~? 허허….
벌주긴 싫은데~."

과음한 벌 ⋯.

언제나 익숙한 아저씨의
목소리, 하지만 무언가
달랐다. 화나 보이지만
차분한 목소리 그사이에
들어가 있는 걱정하는
목소리.

"멍멍아. 술도 못 마시는
우리 멍멍이. 과음하고
나서 쓰러진 다라.
아저씨를 걱정하게 하는
멍멍이는 벌을 줘야지."

나는 순식간에 겁에 질리고
말았다. 그때 흥분한

아저씨가 진도를 순식간에
뺀 것을 보면 체벌은
얼마나 강한지 눈에 훤히
보이기 때문이다. 나는
아저씨에게 빌었다.

"제발요…. 저 벌 받기 싫어요.
제발요."

하지만 아저씨는 그대로
무시하며 내 옷을 모두
찢었다. 그리고 눈에 분노가
가득 찬 상태로 노려보며
말했다.

**"나도 벌하기 싫어. 그런데
너를 위해서야. 적어도 이**

일로 후로는 다시는
과음하지 않겠지."

그리고는 방을 나가시는
아저씨. 나는 수만 가지
생각이 들었다.

'벌이라고.? 아저씨가? 아닐 거야.
아닐 거라고 분명 농담이실 거야.
그런데 혹시나 농담이 아니시라면
어떻게 벌을 주시는 거지? 설마
엉덩이를 마구 때리시려나...? 아니라면.
생각이 나질 않아!!!"

아저씨에 대한 정보가 별로
없어서 아저씨가 어떤 벌을
주실지 도통 알 수 없었다.

그리고 잠시 후 수많은
소리와 함께 아저씨가
들어오셨다.

부스럭부스럭 소리, 딱딱한
소리, 끈적끈적한 소리 등
온갖 이상한 소리가 다
났다. 아저씨가 나에게
말했다.

**"멍멍아, 난 너 벌 주기
싫어. 그런데 어쩔 수
없어."**
그 후 아저씨가 스위치를

누르자 내 엉덩이가 아저씨
쪽으로 향했다. 그리고
아저씨는 내 바지와 팬티를
벗기고 내 엉덩이를
문질렀다.
"귀여운 엉덩이를 가졌네.
내가 어떤 벌을 줄지
예상이 가?"
나는 솔직하게 대답했다.
"아뇨."

그 뒤 아저씨는 몽둥이를
내 엉덩이에 가져다 뒀다.
그 후….
"찰싹!!!"

나는 겨우 고통을 참으며
아저씨에게 빌었다.

"잘. 잘못했어요…. 다시는 과음…
안… 할게요…"

아저씨는 차갑게 대꾸했다.

"나도 하기 싫어. 온전히
너를 위해서야. 고작 한
대로 끝내면 너는 절대로
배우지 못해. 난 이 고통을
이 느낌을 더 오래 남게 할
거야. 조용히 하고 순순히
받아들여."

나는 고통스러웠지만 어쩔
수 없었다. 피할 방법도

없었다. 나는 힘없는
목소리로 "예…."라고
대답했다.
아저씨는 계속 몽둥이로 내
엉덩이를 사정없이 쳤다.
"찰싹!!!" "찰싹!!!"
"찰싹!!!" "찰싹!!!"
"찰싹!!!" "찰싹!!!"
나는 계속해서 고통을 참고
억누르며 버티고 있었다.
앓는 소리도 계속 억누르며
버티고 있었다. 하지만
아저씨는 그런 내 마음도
모른 채 계속….

"찰싹!!!" *"찰싹!!!"*
"찰싹!!!" *"찰싹!!!"*
"찰싹!!!" *"찰싹!!!"*
"찰싹!!!" *"찰싹!!!"*
"찰싹!!!" *"찰싹!!!"*

하고 인정사정없이 내
엉덩이를 때렸다. 계속해서
참으려고 했지만
역부족이었다. 참지 못하고
고통에 울부짖으며
살려달라고 소리쳤다.
그리고 내 엉덩이를 25대
때리신 뒤에야 멈춰주셨다.
엉덩이가 불타는 듯이

얼얼했고 엄청 따가웠다.
그 후 아저씨는 나를
풀어주셨다. 나는 고통에
몸부림치며 울었다. 그리고
위로라도 해주실 줄 알았던
아저씨는 오히려 차갑게
말했다.

"더 처맞기 싫으면
일어나."

나는 고통을 참으며 억지로
일어섰다. 다리가 후들후들
떨렸지만 계속 자신을
최면했다.

"나는 괜찮아. 안 아파. 하나도 안

아프다고. 안 아파... 안 아파야 해."

하지만 아저씨의 벌은
끝나지 않았다. 아저씨는
곧바로 말했다.
"구석에서 무릎 꿇고 손
들고 있어. 뭘 잘못했는지
반성해."
나는 대꾸하려고 했지만,
아저씨가 눈치채고 나를
노려봤다.
아저씨의 무서운 눈에
압도당한 나는 순종할
수밖에 없었다.
나는 그대로 구석으로 가서

무릎 꿇고 손을 들었다.
하지만 아저씨가 마음에
들지 않았는지
"손 바짝 들어!!!"라고
소리쳤다.
나는 손을 바짝 들고
기다렸다.
그리고 내 팔이 감각이
없어졌을 때 즈음 아저씨가
말했다.
"내려."
나는 손을 곧바로 내렸다.
더는 아저씨를 볼 힘도
기력도 없었다. 아저씨는

잠시 나를 바라보더니
밖으로 나가서서 약을
가져오셨다. 그러더니
**"궁뎅이 이리 가져와.
멍멍아."**
나는 아저씨에게 내
엉덩이를 보여줬다.
아저씨는 내 엉덩이에 약을
발라주시고 나는 곧바로
들어서 내 엉덩이를
토닥토닥해주셨다. 그리고
아저씨는 부드럽게 하지만
차갑게 대답했다.
"잘했어. 이제 벌은 다

끝났어. 하지만 과음 더
하지 마. 한 번 더
과음하면 니 궁뎅이가
불타서 없어질 만큼 맵매할
거야. 알겠어?"
아저씨는 나를 아직도 애
취급하시는 듯했다. 하지만
나는 어쩔 수 없이
"네, 아저씨. 다시는 안 그럴게요."
라고 대답할 수밖에 없었다.
아저씨의 손과 몽둥이는
생각보다 많이 매웠다.
나는 다시 아저씨의 벌을
받고 싶지 않았다. 그렇기에

나는 순종할 수밖에 없었다.
그 후 아저씨는 부드럽게
말했다.

**"잘 견뎠어. 잘했어.
다시는 하면 안 돼~
알았지? 멍멍아?"**

"네..."

나는 엉덩이가 아직도
얼얼했다. 아직도 고통에
빠진 신음이 새어 나왔다.
아저씨가 물었다.

"아직 아프지?"

"네..."

"뭐가 필요해?"

"따뜻한 아저씨 품이요…"

"…이리와"

그 후 아저씨는 나를
안아주셨다.

그리고 아저씨는 내
엉덩이를 토닥여주셨다.

그리고 아저씨가 나에게
엄청 이상하고도 놀라운
제안을 했다.

"나스웨더. 아저씨랑 같이
살아볼래?"

"예…? 진심으로요?"

"너는 내가 거짓말하는 거
봤니?"

"아뇨, 좋긴 하지만 갑자기..."

"그.. 난 너를 내 아들처럼
생각하고 있거든...?
어떻게 생각하나 해서
말이야."

"좋죠!"

그 후 난 아저씨랑 같이
살게 되었다.

그 후,
2일 뒤 나에게 꿈과 같은
"복수" 시간이 주어졌다.

아저씨의 체벌 시간

2일 뒤

아저씨가 늦게 들어왔다.

그리고 나는 진한 술 냄새.

아저씨가 술에 취하고 온

것이 확실해지는

순간이었다.

나는 아저씨에게 자신 있게

내 기회를 만들기로 했다.

"아저씨? 지금 몇 시예요?"

"3시 반... 허허 많이
늦었지? 미안해~"

"미안하다 하면 다예요?! 아저씨가

같이 살자고 약속해놓고 2일 만에

이렇게 늦으셔서 걱정시키면 어쩌자는 거예요!"

"이놈이!" "딸꾹!" "너 오늘 한 번 궁디 맴매 맞아볼래?!"

"아저씨 미워요! 어떻게 그렇게 뻘하시고 또 그런 말을 아무렇지 않게 하실 수 있어요! 그리고 그 이유는 과음해서였는데 이번엔 아저씨가 과음하셨잖아요!!!"

"아저씨는 나이 먹을 만큼 먹었잖아!!!"

"그래서 뭐요!!! 제 뜻은 그게 아니라 이번에는 아저씨가 과음하셨는데 왜

저를 벌하시려는 건데요!!! 그리고
저도 다른 사람에게는 형이거든요!
아저씨도 다른 이들에게는 동생일 수도
있는데 나이로 왜 변명하세요!!!"

"그건... 그..."
아저씨가 한숨을 쉬고 난
뒤 잠시 정적이 흘렀다.
그리고 아저씨가 진심으로
나에게 물었다.
"설마... 아저씨 벌하고
싶은 거니...?"
나는 곧바로 대답했다.
"왜 아닐 거라고 생각하시는
건데요?!"

아저씨는 잠깐 말이
없으시다가 결심한 듯 말을
꺼내셨다.

"그래... 아저씨가
내로남불하면 그것도 안
되겠다. 그러면 오늘 니가
원하는 방식으로 나를 벌
해봐. 그거면 만족하니?"

나는 솔직히 당황했다.
아저씨의 말에서 진심이
느껴졌기 때문이다. 이
정도면 아저씨가 술 취한
것처럼 연기하는 것일까에
대해 의심이 들었지만 나는

대답했다.

"네, 그거면 만족해요."

그리고 체벌을 시작했다.

"어떤 걸 해줬으면 하니?"

"엉덩이 흔들어주세요"

아저씨는 곧바로 엉덩이를
나에게 내준 상태로
실룩샐룩 엉덩이를
흔들었다. 엉덩이춤도 춰
주셨다.

"또 원하는 것이 있니?"

"아저씨 바지 벗고 엉덩이춤 춰
주세요."

아저씨는 얼굴이

붉어졌지만, 바지를 벗고
엉덩이춤을 춰 주셨다.
아저씨 팬티는 전형적인
"트렁크 팬티"였다.

"이 정도면 만족하니?"

*"아저씨는 제 엉덩이를 그 지경으로
만들어 놓았으면서 그 소리가 나와요?"*

**"원하는 거나 말해. 돌려
말하지 말고."**

"팬티도 벗고 엉덩이 흔들어주세요."

아저씨는 곧바로 팬티까지
벗고 엉덩이를 흔들었다.
아저씨의 엉덩이는 정말
탱글탱글하고 컸다.

아저씨가 엉덩이를 좌우로
흔들 때마다 엉덩이가
실룩샐룩 흔들렸다.

**"만족하니? 더 원하는 거
있니?"**

*"엉덩이 대주세요. 엉덩이 때릴
거니까."*

"하...하지만..."

"아저씨!"

**"...하아, 그래. 약속은
약속이니."**

아저씨는 네다리로 기는
자세를 취한 뒤 엉덩이를
나에게 가까이 대주셨다.

이제 내 시간이다. 온전히
내 시간인 셈이다.
나는 곧바로 손바닥으로
엉덩이를 때렸다.

"찰싹!"

"윽..."

"찰싹!"

"아파! 살살해 이놈아!"

"찰싹!"

"끄악!"

"찰싹!" **"찰싹!"**

"찰싹!"

나는 아저씨의 엉덩이를 북
삼아서 때렸다. 그러자

아저씨가 고통에 소리
질렀다.

"아파! 아파! 아프다고
이놈아!!! 미안하다!
다시는 너를 이렇게 벌 안
하마!!!"

"찰싹!"   "찰싹!"
"찰싹!"   "찰싹!"
"찰싹!"   "찰싹!"

"잘못했다! 미안하다고
이놈아!!!"

하지만 나는 멈추지 않았다.
얼마나 때렸는지도 기억이
안 날 만큼 때리고 멈췄다.

아저씨의 엉덩이는 내
손바닥 자국으로
뒤덮여있었고 아저씨는 울고
있었다. 나는 그리고
아저씨에게 약을 발라주고
방을 나갔다.
다음날
아저씨가 술을 깨고
일어나셨다.
아저씨가 혼란스러운 말로
내게 물었다.
**"왜 내 엉덩이가 이렇게
아픈 거니?"**
나는 아저씨에게 어제

있었던 일을 설명해줬다.
아저씨는 얼굴이
시뻘게지고는 아무 말도 못
했다. 그리고 아저씨는 그
이후 나를 그렇게나 아프게
벌하는 일은 없었다.

저자의 말

안녕하세요.

아직도 고등학생일 때에 한
번 야설을 써보고 싶어서
써본 책입니다. 어디까지나
제가 좋아하는 것들을
담아서 만들었습니다.
그리고 이 책은 20살인
제가 마지막 마침표를
찍었네요. 그저 재미있게
봐주시면 될 것 같습니다.
지금 시각 오전 2:02
이 책의 마침표를 찍네요.
저자 개 드림.

도서명 이봐, 안 해친다니까?

발　행 | 2024년 03월 28일
저　자 | 개
펴낸이 | 한건희
펴낸곳 | 주식회사 부크크
출판사등록 | 2014.07.15.(제2014-16호)
주　소 | 서울특별시 금천구 가산디지털1로 119 SK트윈
타워 A동 305호
전　화 | 1670-8316
이메일 | info@bookk.co.kr

ISBN | 979-11-410-7665-8

www.bookk.co.kr
© 개 2024